L'île

Première partie : La malédiction de l'île Oak

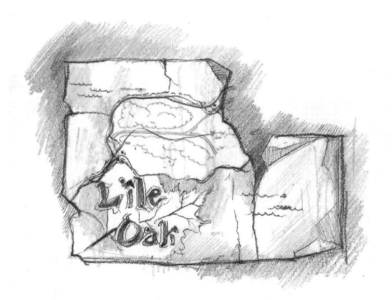

Theresa Marrama

Book 1 of the "L'île au trésor" series

Cover art by digitalhandart

Interior art by digitalhandart

Book cover graphic edit by bookcover_pro

ISBN: 978-1-7339578-1-6
ISBN-13 : 978-1-7339578-1-6

DEDICATION

To my family who is always there to
encourage and support my writing.

TABLE DES MATIÈRES

ACKNOWLEDGMENTS

Thank you to Cécile Lainé, Françoise Goodrow and Richelle Efland for your amazing feedback, advice and time spent editing my story. Jennifer Degenhardt, thank you for all the time you dedicated to helping me and for providing such wonderful advice along the way ! You are an inspiration ! Alice Ayel, Anny Ewing and Melynda Atkins, thanks for taking the time to do a final reading of this story and for providing wonderful feedback and suggestions!

It is so wonderful to have colleagues and friends willing to share their time and energy to help others.

Thank you to my brother, Scott, who listened as I shared my ideas and thoughts while writing this story!

A note to readers:

This story takes place on a real island in Novia Scotia, Canada. There have been stories of buried treasure and unexplained objects found on or near this island for years. Featuring approximately 500 unique vocabulary words, this comprehensible level 2 fiction novel brings you on a boy's journey to find the truth about the island and whether there is actually treasure there and if it is cursed as many say it is.

Prologue

Il y a une île au Canada en Nouvelle-Écosse où l'on cherche un trésor. On continue de chercher un trésor...

Chapitre un
Encore un été au Canada

– Daniel, à quoi penses-tu ? demande son père.

Daniel est dans la voiture avec ses parents. Il regarde par la fenêtre de la voiture. Il ne parle pas. Il est silencieux parce qu'il n'est pas content. Il est plus frustré que jamais, parce que c'est les vacances d'été et qu'il doit aller en Nouvelle-Écosse au Canada. Il ne veut pas aller au Canada. Il veut passer du temps avec ses amis pendant les vacances d'été. Mais, plus que tout, Daniel veut avoir des aventures avec ses amis.

– Daniel, je sais que tu n'es pas content, mais tu ne peux pas rester seul à la maison pendant les vacances d'été ! dit son père.

Il ne regarde pas son père quand il lui parle. Il continue à regarder par la fenêtre de la voiture. Il pense à ses amis et aux vacances d'été. Il pense à toutes les activités que ses amis vont faire cet été. Il ne peut pas faire ces activités. Il doit aller au Canada. Il n'a pas le choix. Il n'y a rien à faire là-bas. Son père travaille pendant tout l'été. Il travaille dans la construction.

— Je pense à mes amis et à l'idée que je ne veux pas passer du temps au Canada cet été, répond Daniel, frustré.

Daniel n'a pas pu passer du temps avec ses amis l'été dernier non plus parce que son père travaillait au Canada. Il a passé un peu de temps avec son grand-père, mais c'était ennuyeux et il voulait voir ses amis. Son père lui dit :

— Daniel, je comprends que tu sois frustré, mais tu peux passer du temps avec ton grand-père et tu peux jouer au baseball. Il y a beaucoup de choses à faire au Canada.

Daniel ne veut pas passer du temps avec son grand-père. Ils n'ont pas grand-chose en commun. Il ne veut pas être au Canada avec ses parents. Il ne va pas avoir la même expérience au Canada parce que ses amis ne sont pas là. Son père lui dit que ses amis peuvent lui rendre visite mais le Canada est loin de chez eux.

– Maman, j'ai faim. Je veux manger, lui dit Daniel.

La mère de Daniel est aussi dans la voiture. Elle regarde son portable. Elle va au Canada pour aider son mari à réparer des maisons.

– Daniel, nous allons arriver dans quelques minutes et tu pourras manger, répond sa mère.

Daniel ne répond pas. Il regarde par la fenêtre en silence. Il lève les yeux au ciel et il pense : *« Pourquoi est-ce que mon père ne peut pas travailler à New York pendant l'été ? »*

Chapitre deux
Une découverte différente

— Papa, appelle Daniel. Où est mon gant de baseball ?

Daniel est dans le grenier de la maison où il va habiter avec ses parents pendant l'été. Il cherche son gant de baseball. Le baseball est son sport favori.

Maintenant, il a 15 ans et il joue très bien au baseball. Il aime beaucoup être dehors.

Mais plus que tout, Daniel aime lire des livres. Il aime lire des romans policiers. Quand Daniel était enfant, il aimait lire sur les trésors enterrés et les mystères.

Deux coffres dans un coin du grenier attirent l'attention de Daniel. Il voit qu'ils sont très vieux, comme les coffres remplis de trésors dans les émissions télévisées qu'il regardait quand il était enfant. Il essaie d'ouvrir un coffre mais il est fermé à clé.

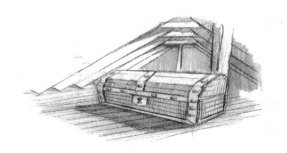

À ce moment-là, il voit son gant de baseball par terre. Il le prend et commence à quitter le grenier mais il s'arrête. Il se retourne vers les deux coffres. Daniel regarde dedans et il remarque une chose intéressante au fond du coffre.

C'est un vieux papier. Il semble très vieux, jauni par le temps. Il prend le papier. Il le regarde. Il le regarde avec des yeux grands ouverts. Il se rend compte que c'est une carte. Il se dit : "C'est une très vieille carte. C'est la carte d'une île. Il regarde la carte et il voit deux mots écrits en grandes lettres: « *île Oak* ».

– Daniel, quel est le problème ? Ça va ? demande son père quand il entre dans le grenier.

Daniel ne répond pas. Il continue à se concentrer sur la carte et n'entend pas son père. À ce moment-là, le père de

Daniel remarque que Daniel a un papier dans la main.

– Daniel ! Qu'est-ce que tu as dans les mains ? demande son père d'un ton sérieux.

Son père regarde le papier avec un air sérieux. Daniel cache la carte au fond du coffre. Il le referme rapidement.

– *Ça n'a pas d'importance,* Papa. C'est juste un vieux journal que j'ai trouvé dans le coffre avec mon gant de baseball, explique Daniel.

– Pourquoi est-ce que tu m'as appelé ? demande son père.

– Je t'ai appelé parce que je ne pouvais pas trouver mon gant de baseball, mais je l'ai trouvé ! lui répond Daniel, nerveux.

– Ah bon. Alors descends tout de suite, dit son père, et il quitte le grenier.

À ce moment-là, Daniel cherche à nouveau la vieille carte qu'il a trouvée. Il veut examiner la carte. Il veut examiner les symboles sur la carte. Il les examine mais il ne les comprend pas. Il pense à toutes les possibilités : « *Pourquoi est-ce qu'il y a une carte de l'île Oak dans le grenier de cette vieille maison ? Est-ce qu'il est possible que je trouve un trésor secret ? Est-ce qu'il est possible qu'il y ait un coffre rempli de trésors sur l'île Oak?* »

– Daaanieeeel ! appelle sa mère. Nous allons manger !

– Une minute, Maman ! lui répond Daniel.

Daniel cache la carte dans le coffre où il l'a trouvée. Il est tellement préoccupé par la carte qu'il oublie son gant de baseball.

Chapitre trois
Beaucoup de questions

La carte de l'île Oak que Daniel a trouvée

Après le dîner, Daniel est au salon, sur le sofa. Il regarde la télé quand son père lui demande :

— Daniel, est-ce que tu veux jouer au baseball ?

À ce moment-là, Daniel se rend compte qu'il a oublié son gant de baseball dans le grenier.

— Oui, Papa, je veux jouer au baseball, mais je vais chercher mon gant de baseball au grenier.

— Tu l'as trouvé cet après-midi, n'est-ce pas ? demande son père.

— Oui, mais je l'ai oublié au grenier, répond Daniel.

Daniel monte l'escalier. Pendant qu'il monte l'escalier au grenier, il n'arrête pas de penser à la carte. Cette carte n'est pas comme les autres cartes. Il n'a jamais vu une carte comme celle-là. Il a vu des cartes à l'école et sur internet, mais cette carte est très vieille et très mystérieuse.

La maison où Daniel habite pendant l'été au Canada est aussi très vieille et très mystérieuse. C'est un site historique que son père a réparé l'été dernier. Son père a expliqué qu'il avait trouvé beaucoup de vieilles photos et de vieux papiers quand il a réparé la maison. Daniel aime écouter les histoires de la maison. Il pense que c'est une maison mystérieuse parce qu'elle est tellement vieille. La maison a été construite en 1840. La maison est vieille comme la carte qu'il a trouvée. Peut-être qu'il y a un rapport entre la maison et la carte, pense Daniel.

La maison de son grand-père est dans le village de Chester. Le village de Chester n'est pas loin.

Il entre dans le grenier et il prend son gant de baseball. Il est curieux. Il veut regarder la carte encore une fois. Il décide d'ouvrir le coffre et il prend la vieille carte. Il l'examine longtemps. Il ne la comprend pas. Tout à coup, son père appelle :

– Daniel ! Tu veux jouer au baseball ou pas ?

– J'arrive, Papa !

Daniel descend l'escalier et il cache la carte dans sa chambre.

Dehors, Daniel joue au baseball avec son père. Normalement, il ne passe pas beaucoup de temps avec son père. Son père travaille tout le temps. Daniel aime bien quand son père peut passer du temps avec lui. Il aime aussi jouer au baseball avec lui.

Il n'arrête pas de penser à la carte. Il demande à son père :

— Papa, qu'est-ce que c'est « l'île Oak » ?

Son père le regarde avec un air étrange et dit :

— L'île Oak est une île près d'ici. Il y a une vieille légende au sujet de l'île.

— Une vieille légende ? demande Daniel avec intérêt.

— Oui, selon la légende, un pirate a enterré son trésor sur l'île Oak, explique son père.

— Un trésor enterré sur l'île Oak ! s'exclame Daniel. Il n'en croit pas ses oreilles. Il pense : *« S'il y a un trésor sur l'île Oak, est-ce qu'il est possible que j'aie trouvé la carte au trésor ?* » Il pense au trésor. Il n'arrive pas à se concentrer sur le baseball. A ce moment, le portable de son père sonne. Ils arrêtent de jouer au baseball.

Puis Daniel entre dans la maison. Il monte l'escalier et il va dans sa chambre. Il n'arrête pas de penser à la légende et aux informations que son père lui a données. Il pense au mystère et aux pirates. Il est fasciné par l'idée et la possibilité d'être près d'un vrai trésor.

Chapitre quatre
La Carte Mystérieuse

 Le lendemain, Daniel est dans sa chambre. Il pense à sa découverte d'hier. Il pense à la carte. Il pense à ses amis. En réalité, il veut tout raconter à ses amis à New York. Il veut raconter sa découverte à quelqu'un. Il pense à Luc. Luc est un garçon qu'il a rencontré l'été dernier, à la fin de sa visite. Il a le même âge que Daniel et il habite près du grand-père de Daniel. Ils n'ont pas passé beaucoup de temps ensemble, mais Daniel a découvert que Luc aime le baseball comme lui. Luc aime aussi les mystères. Qui n'aime pas les mystères ? Daniel veut lui parler de la carte. Il prend son portable et il lui écrit un texto.

> Luc, je suis en Nouvelle-Écosse pour l'été ! J'ai découvert quelque chose de bizarre dans ma maison hier !

Daniel regarde son portable pendant qu'il pense à la carte. Immédiatement, il y a un texto de Luc.

> Une découverte. Quelle découverte ? Je peux aller chez toi après le dîner !

Daniel est plus curieux que jamais. Il prend la carte et il l'examine. Il l'examine depuis longtemps. Il se rend compte de quelque chose de bizarre sur la carte. La carte n'est pas comme les autres cartes parce que les points cardinaux sont étranges. Les points cardinaux sont à l'envers. Daniel ne comprend pas la carte. Il ne comprend pas pourquoi les points cardinaux sont à l'envers. Il est curieux et il a beaucoup de questions dans la tête. Il a besoin de parler avec Luc. Il a besoin de discuter au sujet de la carte et des choses qu'il vient de découvrir.

Pendant qu'il attend son ami, Daniel va dans le salon. Il veut parler avec son père. Il a beaucoup de questions au sujet de l'île Oak. Il est plus curieux que jamais. Il veut tout savoir sur la légende.

– Papa, est-ce que tu penses qu'il y a un trésor sur l'île Oak ? demande Daniel, curieux.

Daniel aime beaucoup le sujet des trésors et des pirates. Il aime les mystères. Il les trouve fascinants.

– Daniel, je pense que c'est possible. Il y a eu beaucoup de pirates qui ont visité l'île dans le passé.

Normalement, les pirates ont des trésors, répond son père.

Daniel pense en silence pendant un moment. Puis, il regarde son père et il lui demande :

— Est-ce qu'on a cherché le trésor sur l'île ?

— Oui, selon les histoires, beaucoup de personnes ont cherché le trésor, dit son père.

— Est-ce qu'on a trouvé le trésor ? demande Daniel.

— Non, je ne le pense pas, répond son père.

Daniel est fasciné et il a besoin de parler avec Luc et de lui montrer la carte ! Il est six heures du soir quand Luc arrive chez Daniel.

– Enfin ! s'exclame Daniel !

–Euh, bonsoir, répond Luc, surpris par la réception enthousiaste de son ami. Bonsoir M. et Mme. McGuinness dit-il aux parents de Daniel.

– Allons dans ma chambre, insiste Daniel, et les deux garçons vont dans sa chambre. » Daniel ferme la porte. Il a besoin de discuter de sa découverte avec son ami.

Chapitre cinq
La Vieille Légende

    Dans sa chambre, Luc regarde Daniel. Il a l'air curieux. Luc lui demande : Qu'est-ce que tu as découvert ? Je veux voir ! dit-il, fasciné. Daniel prend la carte. Il lui donne la carte. Luc la regarde et dit :

— Daniel, cette carte est très vieille. Où est-ce que tu l'as trouvée ?

— J'étais dans le grenier pour chercher mon gant de baseball hier quand j'ai vu un coffre. Quand j'ai regardé dedans il y avait un papier au fond du coffre. Le papier était jauni. Le papier avait l'air vieux. Je l'ai regardé. Après l'avoir examiné, je me suis rendu compte que c'était une carte. C'était une très vieille carte et je ne pouvais pas en croire mes yeux ! explique Daniel.

Luc regarde Daniel. Il est plus fasciné que jamais.

— Daniel, tu veux rechercher l'île sur internet ? demande Luc.

Daniel prend son ordinateur portable. Il s'assied sur son lit et il recherche " île Oak » sur Google. Il trouve beaucoup d'informations sur Google. Il trouve l'histoire de l'île Oak. Il n'en croit pas ses yeux. Il crie : « Il a raison ! Mon père a raison, il y a une vieille légende sur cette île.

– Daniel, quelle vieille légende ? demande Luc.

Il continue à rechercher plus d'informations sur la légende.

– Selon l'internet et la légende, un pirate a enterré son trésor sur l'île Oak.

– Un pirate ! demande Luc, surpris.

– Oui, le pirate s'appelle William Kidd. William Kidd est venu sur l'île et il a enterré le trésor, explique Daniel.

Daniel est fasciné par les informations. Il n'en croit pas ses yeux. Il n'arrive pas à croire qu'il a trouvé une vieille carte de l'île Oak.

Daniel regarde Luc et lui demande : « Est-ce qu'il est possible que j'aie trouvé une carte qui pourrait aider à trouver un trésor ? »

— Il y a un trésor enterré sur l'île Oak ! s'exclame Luc.

Luc n'en croit pas ses oreilles. « S'il y a un trésor sur l'île Oak alors c'est la carte qui mène au trésor ! » s'exclame Luc et il pense en silence pendant un moment.

Daniel continue à rechercher sur internet. Il est plus curieux que jamais.

Il regarde son ordinateur portable et il lit à Luc :

Un jour d'été 1795, un garçon a découvert un trou sous un arbre sur l'île Oak. Ce jour a changé sa vie à jamais. Personne n'a jamais trouvé le trésor et la carte qui pouvait aider à trouver le trésor enterré sur l'île a disparu depuis longtemps.

Il y a un moment de silence. Daniel et Luc se regardent avec de grands yeux. Daniel regarde Luc et dit :

— Est-ce qu'il est possible que la carte que j'ai trouvée soit la carte qui a disparu ?

— Oui, c'est possible, tout est possible ! répond Luc, fasciné. »

Chapitre six
À La Bibliothèque

Le lendemain, Daniel se réveille à neuf heures et demie, mais il ne se lève pas immédiatement. Il reste dans son lit en pensant à la carte. Il se demande si la carte qu'il a trouvée est importante. Il prend son portable et il voit un texto de Luc.

Daniel regarde le texto.

Allons à la bibliothèque !

Il se demande pourquoi il veut aller à la bibliothèque. Il écrit un texto :

À la bibliothèque ? Pourquoi ?

Puis après un petit moment arrive un autre texto de Luc :

> Pour chercher plus d'informations sur l'île et le trésor ! La bibliothèque peut nous aider à trouver les réponses que nous cherchons !

L'idée d'un trésor et d'une vieille carte est très fascinante pour Daniel. Il pense à hier et à sa découverte. Il pense à comment la carte qu'il a trouvée changerait sa vie pour toujours ! Plus curieux que jamais, Daniel répond :

> Oui, à la bibliothèque après le déjeuner !

Finalement, Daniel se lève du lit. Il prend son portable et il descend l'escalier.

Il entre dans le salon et il voit son père sur le sofa. Son père regarde la télé. Son père regarde toujours la télé le matin avant d'aller au travail.

— Salut Papa ! dit Daniel.

— Salut Daniel, répond son père.

Daniel a son portable dans les mains. Il cherche l'île Oak sur internet pendant que son père regarde la télé.

— Qu'est-ce que tu vas faire aujourd'hui ? demande son père.

— Je vais aller à la bibliothèque avec Luc après le déjeuner, répond Daniel.

Après le déjeuner, Daniel va à la bibliothèque. Il monte l'escalier de la bibliothèque et entre rapidement dans le bâtiment. Il cherche son ami. Immédiatement, il le voit. Luc est déjà à la bibliothèque. Luc cherche déjà dans une base de données spéciale.

— Luc, qu'est-ce que tu cherches ? demande Daniel.

— Oh, salut Daniel ! Je ne t'avais pas vu. Je recherche les personnes qui ont cherché le trésor sur l'île, répond Luc.

— Je vais chercher quelques livres. Je reviens, continue à chercher ! dit Daniel.

Daniel cherche et cherche à la bibliothèque des livres sur l'île Oak. Mais il n'en trouve pas. Il n'est pas content. Il se demande : « *Pourquoi il n'y a aucun livre sur l'île Oak ?* » Il ne sait pas ce qu'il cherche. Il a besoin d'aide. Il revient et demande à Luc.

— Luc, tu as trouvé quelque chose d'important sur internet ? demande Daniel.

— Non, je ne sais pas ce que je cherche, explique Luc.

À ce moment-là, Daniel a une idée. Il a une idée qui peut aider à trouver quelques informations.

— Luc, je veux rendre visite à mon grand-père. Il habite près de l'île Oak. Il y habite depuis 20 ans et il a une collection de vieux journaux sur l'île Oak dans sa maison, dit Daniel.

— Est-ce que ton grand-père connaît la légende de l'île ?

— Je ne sais pas, lui répond Daniel.

Les deux garçons quittent la bibliothèque en pensant à la légende.

Chapitre sept
Une Conversation Importante

Le lendemain, Daniel va chez son grand-père. Quand il monte l'escalier de sa maison, il se rend compte que cela fait longtemps qu'il n'a pas rendu visite à son grand-père. Son père est toujours trop occupé pour rendre visite à son père et Daniel passe tout son temps dehors à jouer au baseball ou dans sa chambre à lire des livres. Il entre dans la maison de son grand-père.

— Papi ! appelle Daniel.

— Dans le salon, répond son grand-père.

Daniel va dans le salon et s'assied sur le sofa. Son grand-père est un homme très intelligent. Il était professeur d'histoire pendant 30 ans au Canada.

– Salut Papi !

– Salut Daniel. Comment ça va ?

– Bien, Papi, merci. Comment ça va Papi ?

– Bien, Daniel, merci.

– Papi, Je veux discuter de quelque chose avec toi. Je veux discuter de la légende de l'île Oak. Est-ce que tu connais cette légende ?

– Tout le monde connaît la légende de l'île Oak.

– Est-ce qu'il y a une carte du trésor ? demande Daniel.

– Beaucoup de personnes ont cherché la carte dans le passé. Après quelques temps, ils se sont rendus compte que la carte avait disparu pour toujours et ils ont arrêté de la chercher, explique son grand-père.

Daniel n'en croit pas ses oreilles. Il regarde son grand-père avec de grands yeux. Il le regarde avec un air sérieux. Plus curieux que jamais, il lui demande :

– Comment est-ce que la carte a disparu ?

– La légende de l'île Oak est une des meilleures chasses au trésor de l'histoire. Selon les articles, même Franklin Delano Roosevelt a cherché le trésor sur l'île Oak. Selon la légende, il y avait un homme qui avait la carte à Chester. On pense que la carte est encore au Canada. Mais personne ne le sait avec certitude.

Daniel regarde son grand-père en silence. Il pense : *« Est-il possible que la carte trouvée soit la carte disparue ? »*

– Papi, est-ce que tu as une photo de la carte ? demande Daniel.

Son grand-père le regarde d'un air bizarre.

– Daniel, pourquoi est-ce que tu me poses toutes ces questions au sujet de la carte de l'île Oak ? demande son grand-père.

Son grand-père se lève et quitte le salon. Daniel ne comprend pas. Il pense : « *Où va-t-il ?* » Il entend un bruit et une minute plus tard son grand-père revient dans le salon. Il a un papier à la main. Le papier est très vieux et son grand-père a une expression sérieuse.

Il lui donne le papier. Daniel le regarde. Pendant qu'il le regarde, son grand-père lui explique :

– C'est un vieux journal de la Nouvelle-Écosse. Il y a un article sur l'île et la carte qui a disparu. Va à la page 3 dans le journal.

Daniel ne dit rien. Il va à la page 3. Il pense en silence pendant un instant. Il regarde son grand-père puis il crie :

« Papi, j'ai trouvé une vieille carte l'autre jour. Je pense que j'ai trouvé cette carte. »

Son grand-père le regarde et dit : « C'est impossible Daniel ! »

Daniel ne répond pas. Il continue à regarder le vieux journal et la photo de la carte.

Il se dit : « *Je ne peux pas y croire. C'est la même carte.* » À ce moment-là, il se lève et il sort par la porte en courant et court dans la rue vers sa maison en criant :

– Papi, je reviens ! Tu dois voir la carte que j'ai trouvée. C'est la même carte ! J'en suis sûr, c'est la même carte ! »

Son grand-père le regarde sans comprendre ce qui se passe.

Chapitre huit
Un Rapport Impossible

« – Daniel ! » appelle son grand-père trente minutes plus tard devant sa chambre.

Daniel est surpris d'entendre la voix

de son grand-père. « C'est toi, Papi ? Ça va ? demande Daniel.

Daniel est dans sa chambre et il a la carte dans les mains. Son grand-père a conduit jusqu'à sa maison après qu'il est parti de chez lui en criant.

– Oui, mais je suis un peu préoccupé. Tu as quitté ma maison très rapidement, répond son grand-père.

Il s'approche de lui. À ce moment-là, il voit la carte dans les mains de Daniel. Il n'en croit pas ses yeux. Il la prend des mains de Daniel. Il la regarde longuement sans rien dire.

– Daniel, où as-tu trouvé cette carte ? lui demande-t-il d'une voix très sérieuse.

Daniel le regarde et répond :

— Je l'ai trouvée dans le grenier l'autre jour, pendant que je cherchais mon gant de baseball. Elle était au fond d'un coffre au grenier.

— Est-ce que ton père sait que tu as cette carte ? demande son grand-père.

— Non, il n'en sait rien.

— Daniel, nous devons aller chez moi. Nous avons beaucoup à discuter, dit son grand-père.

Ensemble, ils descendent l'escalier et montent dans la voiture du grand-père. Daniel regarde par la fenêtre en silence. Il peut voir que son grand-père s'intéresse à la carte mais il ne comprend pas pourquoi. De quoi est-ce que son grand-père doit discuter ? se demande-t-il. Il est plus curieux que jamais. Peut-être cet été va-t-il être intéressant après tout !

Chapitre neuf
Une Conversation Inoubliable

— Papi, tu as cherché le trésor ? demande Daniel, très intéressé par la conversation.

Tous les deux sont installés à la table de la cuisine, dans la maison du grand-père.

— Daniel, j'étais très jeune mais oui, j'ai cherché le trésor sur l'île Oak avec mes amis. Nous avons collectionné tous les journaux au cours des années. Nous avons recherché toutes les informations possibles pour comprendre la légende de l'île.

— Papi, je veux comprendre cette légende. Je veux comprendre pourquoi on croit qu'il y a un vrai trésor sur l'île, explique Daniel d'une voix sérieuse.

À ce moment-là, son grand-père se lève et marche vers un placard dans le salon. Daniel remarque que son père ressemble beaucoup à son grand-père. Son père est grand comme lui.

Un moment plus tard, son grand-père revient avec une vieille boîte dans les mains. Il ouvre la boîte et dedans, il y voit beaucoup de vieux journaux et de vieux papiers. Son grand-père ouvre un cahier en particulier. Le cahier est vieux et il y a beaucoup de notes écrites partout sur les pages avec des diagrammes et des symboles. Puis, il commence à tout expliquer.

— Daniel, il est important que tu

comprennes qu'il y a une malédiction spéciale sur l'île. C'est « la malédiction de l'île Oak » et des millions de gens croient que cette malédiction existe. On veut trouver la carte pour trouver le trésor qui est enterré sur l'île. C'est un trésor très important parce qu'il y a un rapport entre le trésor de l'île et le bijou de Marie-Antoinette perdu pendant la Révolution Française.

– On n'a jamais trouvé le bijou de Marie-Antoinette ? Qui était Marie-Antoinette ?

– Marie-Antoinette était la reine de la France pendant la Révolution française. Non, le bijou de Marie-Antoinette est encore perdu aujourd'hui. Une autre théorie est que le Graal, un objet religieux, a été enterré sur l'île avec les autres documents et trésors d'importance.

– Quels documents d'importance ?

– On croit que des manuscrits de Shakespeare ont été enterrés sur l'île.

Daniel s'intéresse tellement aux informations qu'il n'entend pas son portable. Il regarde son portable, c'est sa maman.

– Allô, Maman.

– Allo Daniel. Où es-tu ? Chez Papi ?

– Oui, je suis chez Papi.

– As-tu faim ? Tu veux revenir et manger ?

– Non, je n'ai pas faim. Je peux manger après. Merci, au revoir.

– Daniel, tu dois manger. Retourne à la maison pour le dîner. Nous pouvons continuer la conversation plus tard, dit son grand-père.

Daniel ne veut pas y aller. Il ne veut

pas manger. Il veut en écouter davantage sur la légende.

– Papi, je peux manger après. Je n'ai pas faim. Je veux en entendre encore plus sur la légende et la malédiction. Mais je ne comprends pas pourquoi il y a une malédiction.

– Selon la légende, sept personnes vont mourir avant qu'on ne puisse trouver le trésor sur l'île. Il y a six personnes déjà qui sont mortes en cherchant le trésor, explique son grand-père.

Daniel ne répond pas immédiatement. Il est fasciné par la légende. Il n'arrive pas à y croire.

– Six personnes sont mortes sur l'île ? demande-t-il d'une voix sérieuse.

Son grand-père lui donne un vieux journal. Daniel le prend et il remarque les grandes lettres sur le journal :

« *Un autre mort sans trésor sur l'île Oak* ». Il prend un moment pour lire l'article. Quand il finit de lire, il regarde son grand-père d'un air curieux.

– Papi, pourquoi est-ce que tu connais toutes ces informations au sujet de l'île et de la légende ? Je ne comprends pas, demande Daniel.

– La légende et les choses que quelques personnes ont découvertes m'intéressent beaucoup et j'ai fait beaucoup de recherches, explique son grand-père.

– Qu'est-ce qu'elles ont découvert ? demande Daniel d'une voix très curieuse.

– On a découvert quelques pièces de monnaie en argent et des petits objets anciens. On croit que c'est une petite partie d'un trésor de pirates. Il y a quelques personnes qui croient que...

Son grand-père arrête de parler. Il reste silencieux pendant un moment et quand Daniel dit:

– Papi, quel est le problème ? »

Son grand-père ne répond pas. Il ne répond pas. Il semble être en transe. Finalement, il prend la carte que Daniel a trouvée. Daniel remarque que ses mains tremblent. Ses mains tremblent beaucoup.

Il la regarde et lui dit d'une voix très sérieuse : « Je n'ai pas parlé de la légende et de la malédiction depuis longtemps.

Daniel regarde son grand-père en silence. Il ne parle pas. Son grand-père ne parle pas. Daniel pense : *Pourquoi je n'ai pas parlé davantage à mon grand-père ? C'est un homme très intéressant avec un passé intéressant aussi.* Son grand-père lui dit :

– Daniel, il y a plus à discuter mais

je suis fatigué. Tu peux revenir demain et nous pourrons continuer cette conversation.

– Oui, je comprends Papi, dit Daniel. »

Daniel marche vers la porte quand son grand-père lui dit :

« Daniel ne parle à personne au sujet de cette carte.

Daniel ouvre la porte et là, il sait que son grand-père en sait plus sur la légende que ce qu'il a dit.

Alors qu'il marche, il fait très noir. Il n'y a personne dehors. Il y a seulement Daniel et la nuit. Il n'y a pas une voiture en vue. Tout à coup, Daniel entend un bruit. Il s'arrête de peur. Il remarque une ombre. C'est une ombre près de sa maison. Il crie : « Papa, c'est toi ? » mais la personne ne répond pas. Daniel ne comprend pas. Tout à coup, l'ombre court. L'ombre court en direction de la rue et elle disparaît dans l'obscurité.

Daniel se demande : « *Qui était près de la maison ? Pourquoi est-ce que quelqu'un est dehors aussi tard dans la nuit ? C'est bizarre !* »

53

Chapitre dix
La Longue Nuit

Après avoir vu la personne mystérieuse, Daniel rentre en pensant à la carte, à son grand-père et à la personne mystérieuse dehors. Il pense beaucoup. Daniel est perplexe. Il ne comprend pas pourquoi il n'a pas passé plus de temps avec son grand-père. Il ne comprend pas comment son grand-père sait autant d'informations au sujet de la carte et de la malédiction sur l'île. Dans le passé, son grand-père n'a pas eu l'air de vouloir beaucoup parler. Après lui avoir montré la carte qu'il avait trouvée, son grand-père a eu l'air de vouloir parler. À cause de cela, Daniel pense qu'il y a une histoire importante. C'est une histoire que Daniel veut comprendre. C'est une histoire qu'il veut que son grand-père lui raconte. Il monte l'escalier quand il entend une voix. C'est la voix de son père.

— Daniel, c'est toi ? lui demande son père.

— Oui, c'est moi Papa, lui répond Daniel.

— As-tu faim ? J'ai acheté une pizza pour le dîner mais tu étais chez ton grand-père.

— Non, je n'ai pas faim Papa, lui dit Daniel, qui est perdu dans ses pensées.

— Daniel, tu vas bien ? lui demande son père

— Oui Papa, ça va, répond Daniel.

— D'accord, qu'est-ce que tu vas faire demain ? Quelque chose d'intéressant ? Tu vas passer du temps avec Luc ? demande son père. Il y a un moment de silence.

– Non, Papa, demain je vais rendre visite à Papi, répond Daniel.

Son père est perplexe. Il ne comprend pas. Il regarde Daniel avec un air bizarre. Son père pense : Il va passer du temps avec son grand-père ? Peut-être qu'ils parlent de baseball. Hmmmm...

Il est 22h30 et Daniel est fatigué. Il va au lit. La nuit ne passe pas rapidement. Le temps passe lentement. Daniel est au lit les yeux ouverts. Il ne pense à rien d'autre qu'à la carte et à la conversation qu'il a eue avec son grand-père aujourd'hui. À cause de cela, il ne peut pas dormir. Il essaie de dormir mais il n'y arrive pas. Il est perdu dans ses pensées.

Daniel est tellement fatigué. Il est tellement fatigué qu'il veut que cette longue nuit arrive à sa fin et que le mystère de la carte soit résolu.

Chapitre onze
Une décision

Le lendemain, Daniel se réveille tôt. Il se réveille parce qu'il entend quelque chose. C'est la voix de son père. Son père est au téléphone et il parle fort. Il descend l'escalier quand il voit son père à table. Il est fâché et Daniel ne comprend pas pourquoi. Quand il entre dans la cuisine, il lui dit :

– Bonjour Papa.

– Bonjour Daniel, répond son père, un peu fâché.

– Ça va Papa ? Tu as l'air fâché, lui dit Daniel.

– Non. Quelqu'un a détruit ma voiture hier soir. Quand tu revenais de chez ton grand-père, as-tu vu quelqu'un près de ma voiture ? demande son père.

Daniel réfléchit un moment. Tout à coup, il se souvient. Il regarde son père avec de grands yeux.

– Oui, Papa j'ai vu quelque chose hier soir. J'ai vu une ombre près de la maison. J'ai pensé que c'était toi, mais quand j'ai crié, personne n'a répondu. La personne a couru dans l'autre direction, explique Daniel. Je ne l'ai pas vue parce qu'il faisait nuit mais je suis sûr que j'ai vu une personne près de la maison hier soir.

– Daniel, pourquoi tu ne me l'as pas dit hier soir ? lui demande son père, très sérieux.

– Je ne sais pas, Papa. Je suis désolé, explique Daniel.

– Je vais téléphoner à la police. Je peux leur expliquer que tu as vu quelqu'un hier soir. Il est possible que la police demande à te parler.

– Oui, je comprends Papa. Je vais aller chez Papi si tu as besoin de moi aujourd'hui.

Quelques minutes passent et Daniel va chez son grand-père. Quand il entre dans la maison il crie :

– Papi !

Personne ne répond. Daniel va dans la cuisine, mais son grand-père n'est pas là. Sur la table, il y a une photo. Sur cette photo, il y a trois hommes. Un homme grand qui a un soda dans la main, un autre homme qui a une pelle dans la main et... il regarde la photo de plus près et il voit son grand-père qui a quelque chose dans la main. C'est un papier. Daniel regarde la photo de plus près. Il crie : « La carte... Il a eu la carte ! »

À ce moment-là, il entend une voix. C'est son grand-père. Il a la photo dans sa main et sa bouche est grande ouverte ! Il est surpris !

– Daniel, je ne t'ai pas entendu entrer.

Son grand-père voit la photo et il regarde Daniel d'un air sérieux.

– Papi, je ne comprends pas... Tu as la carte sur cette photo... La carte que j'ai trouvée... Tu sais, c'est la carte... la carte qui a disparu...

À ce moment-là, son grand-père prend la photo et il lui dit :

– Daniel, il y a beaucoup à discuter. Mais, oui. J'en sais plus sur la carte que tu as trouvée... Oui, c'est la carte qui a disparu...

GLOSSAIRE

A

a – has
  a l'air – (s/he) seems / looks
à -at/to
activités – activities
âge – age
ai – (I) have
aide – help / (s/he) helps
aider – to help
aie – (I) have
aimait – (s/he) liked
aime -(s/he) likes
(qu'il y) ait – that there is
aller – to go
allons – (we) go
alors – so
ami(s) – friend(s)
années – years
ans– years old
appelle – (s/he) calls

s'appelle – (s/he) is called
après – after
arbre – tree
argent – gold
arrête – (s/he) stops
arrêté – stopped
arrive – (s/he) arrives
Il n'arrive pas – He can't
arriver – to arrive
article(s) – article(s)
as – (you) have
attend – (s/he) waits for
attention – attention
attirent – (they) attract
au – in/to the/in the/about
au sujet de – about
aucun – not one
aujourd'hui – today
au revoir – goodbye
aussi – also
autant – as much

autre(s) – another/others
aux – in the/about the
avais– (I) had
avait – (s/he) had
avant – before
avec – with
aventure(s) – adventure(s)
avoir – to have
avons – (we) have

B

base de données – data base
bâtiment – building
beaucoup – a lot
besoin – need
bibliothèque – library
bien – well
bijou – jewelry
bizarre – strange
boîte – box
bonjour – hello
bouche – mouth
bruit – noise

C

ça n'a pas d'importance – it's not important
cache – (s/he) hides
cahier – notebook
carte(s) – map(s)
à cause de cela – because of this
ce – this/that
ce qui – what
cela – this/that
celle – the one
celle-là – that one
certitude – certainty
ces – these/those
c'est – it is
cet – this/that
cette – this
chambre – bedroom
changé – changed
changerait – (s/he) would change
chasses – hunts
chasses au trésor – treasure hunts
cherché – looked for

cherchais – (I) was looking for

cherchant – looking for

cherche – (s/he) looks for

chercher – to look for

cherches – (you) are looking for

cherchons – (we) are looking for

chez – home/at...house

choix – choice

chose(s) – thing(s)

ciel – sky

coffre(s) – chest(s)

au coin – in the corner

collection – collection

collectionné – collected

comme – like

commence à– (s/he) starts

comment – how

commun – common

comprend – (s/he) understands

comprendre – to understand

comprends – (I) understand

que tu comprennes – that you understand

concentrer – to concentrate

conduit – drove

connaît – (s/he) knows

connais – (you) know

connexion – connection

construite – built

a été construite – was built

content – happy

continue – (s/he) continues

continuer – to continue

conversation – conversation

courant – running

cours – course

court – (s/he) runs

couru – ran

couvrir – to cover

criant – yelling
en criant – while yelling
crie – (s/he) yells
croient – (they) believe
croire – to believe
croit – (s/he) believes
cuisine – kitchen
curieuse – curious
curieux – curious

D

d'accord – ok
dans -in
davantage – more
de – of/from
décide – (s/he) decides
décision – decision
découvert – discovered
découverte(s) – discovery/discoveries
dedans – inside
dehors – outside
demain – tomorrow
demande – (s/he) asks
demandes – (you) ask
demie – half past

depuis – for
dernier – last
des – some/about/of the
descend – (he) goes down
descendent – (they) go down
désolé – sorry
détruit – destroyed
deux– two
devant – in front of
devons – (we) have to/must
diagrammes – diagrams
différente – different
dîner – dinner
dire – to say/tell
direction – direction
discuter – to discuss
disparaît – (s/he) disappears
disparu(e) – disappeared
dit – (s/he) says
    (a)   **dit** – said

divertissement
– entertainment
documents
– documents
dois – (you) have
to/must
doit – (s/he) has
to/must
données – gave
donne – (s/he) gives
dormir – to sleep
du – some/of/from
them
du soir – at night

E

école – school
écouter – to listen
écrit – (s/he) writes
écrites – written
elle – she
elles – they
émissions – shows
en – while/in/it
encore une fois
– again
enfant unique – only
child

ennuyeux – boring
ensemble – together
entend – (s/he) hears
entendre – to hear
entendu – heard
enterré(s) – buried
entre – (s/he) enters
entre – between
entrer – to enter
envers
– backwards/the wrong
way
es – (you) are
escalier – stairs
essaie de – (s/he) tries
est – is
et – and
étais – (I) was/(you)
were
était – (s/he) was
été – summer
a été – was
étrange(s) – strange
être – to be
eu(e) – had
eux – their
examiné – examined

examine – (s/he) examines
examiner – to examine
exclame – (s/he) shouts/exclames
existe – exists
expérience – experience
expliqué – explained
explique – (s/he) explains
expliquer – to explain
expression – expression

F

fâché – angry
faim – hunger
faire – to do/make
faisait (nuit) – was (night time)
fait – (s/he) made
fait (nuit) – is night time
famille – family
fasciné – fascinated
fascinante – fascinating

fascinants – fascinating
fatigué – tired
favori – favorite
fenêtre – window
fermé à clé – locked
ferme – (s/he) closes
fin – end
finalement – finally
finit – (s/he) finishes
au fond du – in the bottom of
fort – loudly
fou – crazy
Française – French
frappe – (s/he) hits
frustré – frustrated

G

gant – glove
garçon(s) – boy(s)
légende – legend
gens – people
graal – holy grail
grand(e)(s) – big
grand-chose – not much

grand-père
– grandfather
grenier – attic

H

habite – (s/he) lives
heures – o'clock
hier – yesterday
histoire – story/
history
histoire(s) – stories
historique – historical
homme – man
hommes – men

I

ici – here
idée – idea
il – he
ils – they
il y a – there is/are
immédiatement
– immediately
importance
– importance
important(e)
– important

impossible
– impossible
informations
– information
inoubliable
– unforgettable
installés – placed
instant – instant
intéressant(e)
– interesting
intéressé – interested
intérêt – interest
intelligent – smart
internet – internet

J

J' – I
jamais – never
jauni – yellowed
je – I
jeune – young
jouait – (s/he) used to play
joue – (s/he) plays
jouer – to play
jour – day
journal – newspaper

journaux
– newspapers
jusqu'à – until
juste – just

L

l' – the/it/
la – the/it
là-bas – over there
le – the/it/him
lendemain – next day
lentement – slowly
les – the/them
lettres – letters
leur– their
léve – raises
lève les yeux au ciel
– (s/he) rolls his/her
eyes
lire – to read
lit – bed
livre(s) – book(s)
loin – far
longtemps – long time
longue – long
longuement – for a
long time
lui – to him/her

M

ma – my
main(s) – hand(s)
maintenant – now
malédiction – curse
mais – but
maison(s) – house(s)
maman – mom
manger – to eat
marche – (s/he) walks
matin – morning
mauvaise – bad
me – me/to me
meilleures – best
même – same
merci – thanks
mes – my
millions – millions
minute(s) – minute(s)
moi – me
moment – moment
mon – my
monnaie – coins
monte – (s/he) goes up
montent – (they) go up
montré – showed
montrer – to show
mort – death

sont mortes – (they) died
mourir – to die
mystère(s)
– mystery/mysteries
mystérieuses
– mysterious

N

ne….jamais – never
n'….pas – does not/not
ne…. pas – does not
ne….rien – nothing
nerveux – nervous
neuf – nine
noir – black
non – no
non plus – either
normale – normal
normalement
– normally
notes – notes
nous – we
à nouveau – again
Nouvelle-Écosse – Novia Scotia
nuit – night

O

objet(s) – object(s)
obscurité – darkness
occupé(s) – busy
ombre – shadow
on – someone/one
ont – (they) have
ordinateur
– computer
oreilles – ears
ou – or
oublié – forgot
oublie – (s/he) forgets
oui – yes
ouverte(s) – opened
ouvre – (s/he) opens
ouvrir – to open

P

page(s) – page(s)
papier(s) – paper(s)
par – through
parce que (qu')
– because
parents – parents
parlé – spoken
parle – (s/he) talks

parlent – (they) are talking
parler – to talk/speak
par terre – on the floor
parti – left
particulier – particular
partie – part
partout – everywhere
pas – not
passé – past
passé – spent time
passe – (s/he) spends (time)
passent – (they) spend (time)
passer du temps– to spend time
pendant – during/for
pendant qu'il – while he
pensant – thinking
en pensant – while thinking
pense – (s/he) thinks/(I) think
pensé – thought
penser – to think

penses – (you) think
perdu – lost
perplexe – confused
personne – no one/nobody
personnes – people
petit(e)(s) – small
peu – a little
peur – fear
peut – (s/he) can
peut-être – maybe
peuvent – (they) can
peux – (I)(you) can
photo(s) – picture(s)
pirate(s) – pirate(s)
pizza – pizza
placard – closet
plus – more
plus que jamais– more than ever
non plus – either
points cardinaux – points of the compass
police – police
portable – cell phone
porte – door

possibilité(s) – possibility/possibilities

possible(s) – possible
pour – for
pourquoi – why
pourrait – (s/he) could
pourras – (you) will be able
pourrons – (we) will be able
pouvais – (I) could
pouvait – (s/he) could
pouvons – (we) can
près – near
prend – (s/he) takes/grabs
problème – problem
professeur – professor
pu – could
puis – then
puisse – (s/he)(one) can

Q

qu'elle – that she
qu'il – that he
qu'ils – that they
qu'il y a – that there is/are
qu'est-ce que – what
quand – when
que – that
que jamais– than ever
quel(le) – what/which
quelque(s) – some
quelqu'un – someone
qui – who/that
quitté – left
quitte – (s/he) leaves
quittent – (they) leave
quitter – to leave
quoi – what

R

raconte – (s/he) tells
raconter– to tell
raison – right
 il a raison – he is right
rapidement – quickly
rappellent – (they) remind
rapport - connection
réalité – reality

recherché – searched for

recherche – (s/he) searches for/(I) search for

rechercher – to search for

referme – (s/he) closes

réfléchit – (s/he) thinks

regardait – (s/he) used to watch

regarde – (s/he) looks at

regardé – looked at

regardent – (they) look at

regarder – to look at

religieux– religious

remarque – (s/he) notices

rempli(s) – filled

rencontré – met

rendre visite à – to visit (someone)

rendu visite à – visited (someone)

rentre – (s/he) returns

réparer – to repair/fix

répond – (s/he) responds

répondu – responded

réponses – answers

ressemble – looks like

résolu – resolved

reste – (s/he) stays

rester – to stay

retourne – return

revenais – (you) were coming back

revenir – to come back/return

reviens – (I) am coming back

revient – (s/he) returns/comes back

révolution – revolution

rien – nothing

romans policiers – crime novels

rue – road

S

sa – his/her

sais – (I)(you) know

saison – season
sait – (s/he) knows
salon – living room
salut – hi
sans – without
s'approche – (s/he) approaches
s'assied – (s/he) sits
savoir – to know
se rend compte que – (s/he) realized that
secret – secret
se lève – (s/he) gets up
selon – according to
semble – seems
sept – seven
se réveille – (s/he) wakes up
sérieuse – serious
sérieux – serious
ses – his/her
seul – alone
seulement – only
si – if
silence – silence
silencieux – silent
s'intéresse – (s/he) is interested in

s'intéressent – (they) interest him
site – site
soda – soda
sofa – sofa
soir – night
que tu sois – that you are
soit – be
son – his/her
sont – (they) are
sort – (s/he) goes out
soudainement – suddenly
sous – under
(se) souvient – (s/he) remembers
s'ouvre – opens up
spéciale – special
suis – (I) am
sujet – subject
sur – on
surpris – surprised
symboles – symbols

T
t' – you

tard – late
(au) téléphone – on the phone
téléphoner – to call
télévisée – televised
tellement – so
temps – time
texto – text message
théorie – theory
toi – you
tombe – (s/he) falls
ton – your
toujours – always
tous – all
tous les deux – both of them
tout – all/everything
tout à coup – all of a sudden
tout le monde – everyone
toutes – all
trébuche – (s/he) trips
très – very
trésor – treasure
transe – trance
travail – work

travaillait – (s/he) worked
travaille – (s/he) works
travailler – to work
tremblent – (they) tremble
trente – thirty
trop – too
trou – hole
trouvé – found
trouve – (s/he) finds
trouver – to find
tu – you

U

un(e) – a/an

V

va – (s/he) goes
vacances – vacation
vais – (I) go
vas – (you) go
venu – came
est venu – (s/he) came
vers – towards
veuilles – (you) want

veut – (s/he) wants
veux– (you) want
vie – life
vieille(s) – old
vient de – (s/he) just
vieux – old
village – village
visité – visited
voir – to see
voit – (s/he) sees
voiture – car
voix – voice
vont – (they) are going

voulait – (s/he) wanted
vouloir – to want
vrai – true
vu(e) – saw**vue** – view

Y

y – there
yeux – eyes

ABOUT THE AUTHOR

Theresa Marrama is a French teacher in Northern New York. She has been teaching French to middle and high school students since 2007. She is the author of many language learner novels and has also translated a variety of Spanish comprehensible readers into French. She enjoys teaching with Comprehensible Input and writing comprehensible stories for language learners.

Theresa Marrama's books include:

Une Obsession dangereuse, which can be purchased at www.fluencymatters.com

Her French books on Amazon include:

Une disparition mystérieuse
L'île au trésor:
Deuxième partie: La découverte d'un secret
La lettre
Léo et Anton
La Maison du 13 rue Verdon
Mystère au Louvre
Perdue dans les catacombes

Her Spanish books on Amazon include:

La ofrenda de Sofía
Una desaparición misteriosa
Luis y Antonio
La carta
La casa en la calle Verdón
La isla del tesoro: Primera parte: La maldición de la isla Oak
Misterio en el museo

Her German books on Amazon include:

Leona und Anna
Geräusche im Wald
Der Brief

Check out Theresa's website for more resources and materials to accompany her books:

www.compelllinglanguagecorner.com

Made in the USA
Columbia, SC
24 March 2020